La question de Dieu

© Éditions Nathan (Paris), 2010
ISBN : 978-2-09-252699-6
N° d'éditeur : 10164451

Oscar Brenifier
Jacques Després

La question
de Dieu

On peut avoir sur **Dieu**
des conceptions très différentes,
et même opposées…

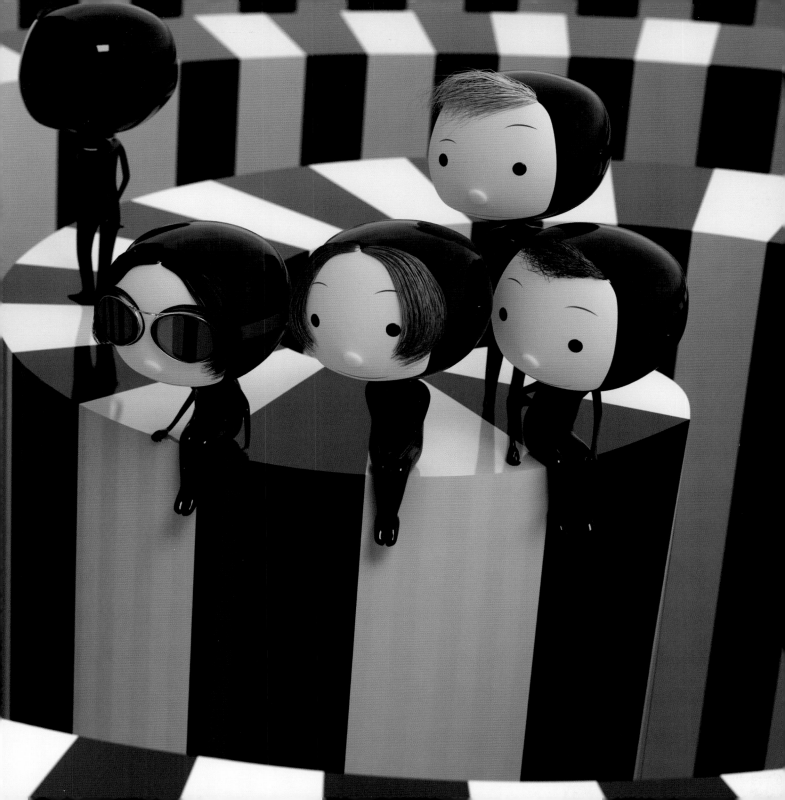

Certains pensent que Dieu existe,
qu'il est un être véritable
avec sa personnalité et son histoire.

D'autres croient que Dieu est une idée,
qui nous sert à expliquer l'origine du monde, ainsi que les mystères
comme celui de la vie et de la mort.

Certains pensent qu'il n'existe qu'un seul Dieu, unique et tout-puissant, même s'il prend différents noms selon les croyances.

D'autres croient qu'il existe d'innombrables dieux, qui ont leur propre nature et leur propre pouvoir.

Certains pensent que Dieu nous est révélé par les livres sacrés,
par la parole des prophètes ou des prêtres.

D'autres croient que Dieu se fait connaître dans le cœur de chacun d'entre nous, du moment que l'on accepte sa présence.

Certains pensent que Dieu
se trouve en des endroits particuliers,
**où l'on peut le rencontrer
et le prier.**

D'autres croient que Dieu est à la fois partout et nulle part,
qu'il ne se trouve pas à un endroit plus qu'à un autre.

Certains pensent que nous devons
respecter la tradition, et honorer
le dieu de notre famille ou de notre culture.

D'autres croient que notre rapport à Dieu
est une question de choix personnel,
qui ne regarde personne d'autre que nous-mêmes.

Certains pensent que **la foi en Dieu
est une superstition inutile** et que nous devons plutôt écouter
notre raison et nous fier à la science.

D'autres croient que **Dieu nous est nécessaire**
pour donner du sens à l'Univers et pour guider nos actions.

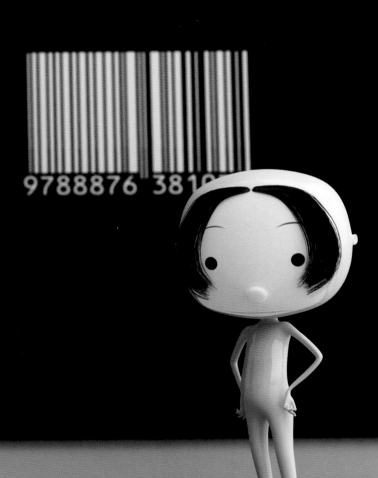

Certains pensent que Dieu dirige le monde,
que chacune de nos actions découle de sa volonté
et qu'il prévoit les événements à l'avance.

D'autres croient que Dieu laisse aux hommes leur entière liberté,
y compris le droit de faire le bien ou le mal.

Certains pensent que Dieu répond
aux prières des hommes,
qu'on peut donc solliciter son aide
ou le remercier.

D'autres croient que Dieu
est indifférent à nos demandes,
qu'il n'est pas là pour nous aider,
qu'il nous permet simplement d'exister
tant qu'il le veut bien.

Certains pensent que Dieu unit les hommes, et toute la création,
car il est le père de toutes choses.

D'autres croient que Dieu est une cause de discorde,
car depuis toujours les hommes se battent pour des questions religieuses.

Certains pensent que la crainte de Dieu est ce qui nous incite à bien agir, que sans la foi religieuse, nous nous comporterions de façon immorale.

D'autres croient que la morale est un sentiment naturel du cœur humain et que notre réflexion nous mène en général vers le bien.

Certains croient que si Dieu existait vraiment et qu'il était bon,
il n'y aurait pas toutes les violences, les guerres et les injustices.

D'autres pensent qu'il faut avoir confiance en Dieu,
qui est la cause du mal comme du bien, car il a ses propres raisons d'agir
comme il le fait, même si nous ne les comprenons pas toujours.

Certains pensent que Dieu décide
de notre sort après la mort,
et que notre vie doit être vécue dans l'espoir
du Paradis ou d'une nouvelle existence,
et dans la crainte de l'Enfer.

D'autres croient que Dieu ne change rien à notre existence,
que nous ne vivons qu'une seule vie dont nous sommes seuls responsables.

et toi ?

Oscar Brenifier. Docteur en philosophie et formateur, il a travaillé dans de nombreux pays
pour promouvoir les ateliers de philosophie pour les adultes et la pratique philosophique pour les enfants.
Il a déjà publié pour les adolescents la collection «L'apprenti-philosophe» (Nathan)
et l'ouvrage *Questions de logiques* (Le Seuil), pour les enfants la collection «PhiloZenfants» (Nathan),
traduite dans de nombreuses langues, et «Les petits albums de philosophie» (Autrement), ainsi que des manuels
pour enseignants, *Enseigner par le débat* (CRDP) et *La pratique de la philosophie à l'école primaire* (Sedrap).
Il est l'un des auteurs du rapport de l'Unesco sur la philosophie dans le monde : *La philosophie, une école de liberté.*
www.brenifier.com

Jacques Després. Jacques Després intègre les Beaux-Arts en 1985. Au début des années 1990,
il décide de se tourner vers un nouveau médium, encore balbutiant : l'imagerie virtuelle. Ce choix l'amène à travailler
dans des domaines aussi variés que le film documentaire, le jeu vidéo, l'architecture et la scénographie.
Aujourd'hui, Jacques Després est illustrateur et poursuit sa réflexion sur l'espace, le corps, la lumière
en explorant les rapports singuliers que les mots peuvent avoir avec les images.
www.jacquesdespres.eu

Le livre des grands contraires philosophiques, leur première collaboration,
a été récompensé par le *Prix de la presse des jeunes 2008,* le *Prix Jeunesse France Télévisions 2008*
et le prix *La Science se Livre 2009.* Il a été traduit dans dix-huit langues.

Édition : Jean-Christophe Fournier
Maquette : Lieve Louwagie

Conception éditoriale : Céline Charvet
Conception artistique : Jean-François Saada

Fabrication : Céline Premel-Cabic
Photogravure : Nord Compo
Achevé d'imprimer en France par Pollina.L53715.

Dépôt légal : juin 2010
En application de la loi n°49-956 du 16 juillet 1949
sur les publications destinées à la jeunesse.